El Caballito de Siete Colores

El Caballito de Siete Colores

Rene Almanza

Shinseken

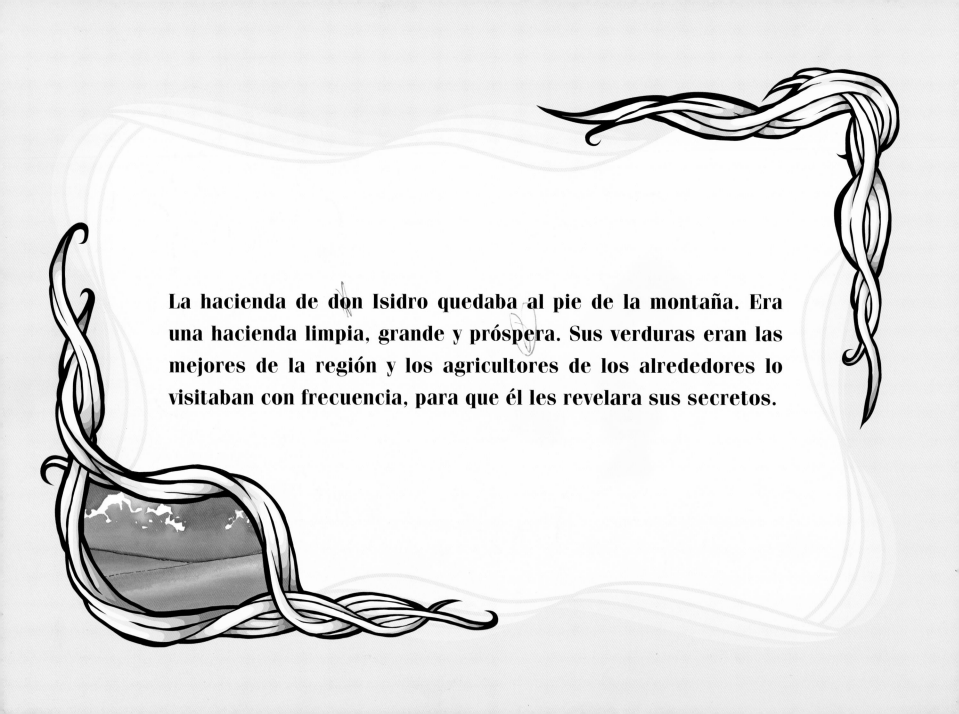

La hacienda de don Isidro quedaba al pie de la montaña. Era una hacienda limpia, grande y próspera. Sus verduras eran las mejores de la región y los agricultores de los alrededores lo visitaban con frecuencia, para que él les revelara sus secretos.

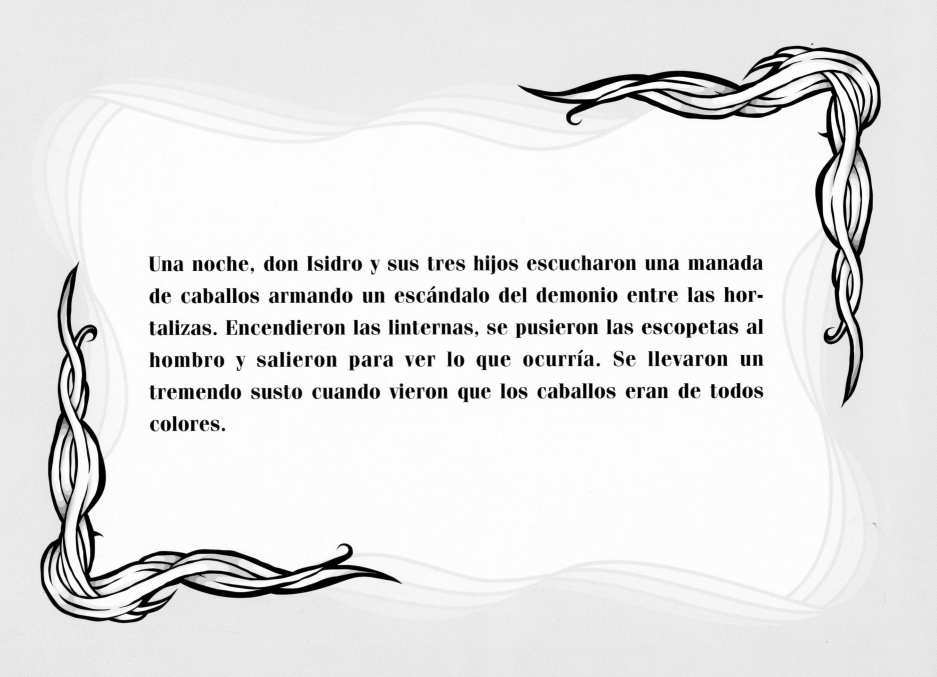

Una noche, don Isidro y sus tres hijos escucharon una manada de caballos armando un escándalo del demonio entre las hortalizas. Encendieron las linternas, se pusieron las escopetas al hombro y salieron para ver lo que ocurría. Se llevaron un tremendo susto cuando vieron que los caballos eran de todos colores.

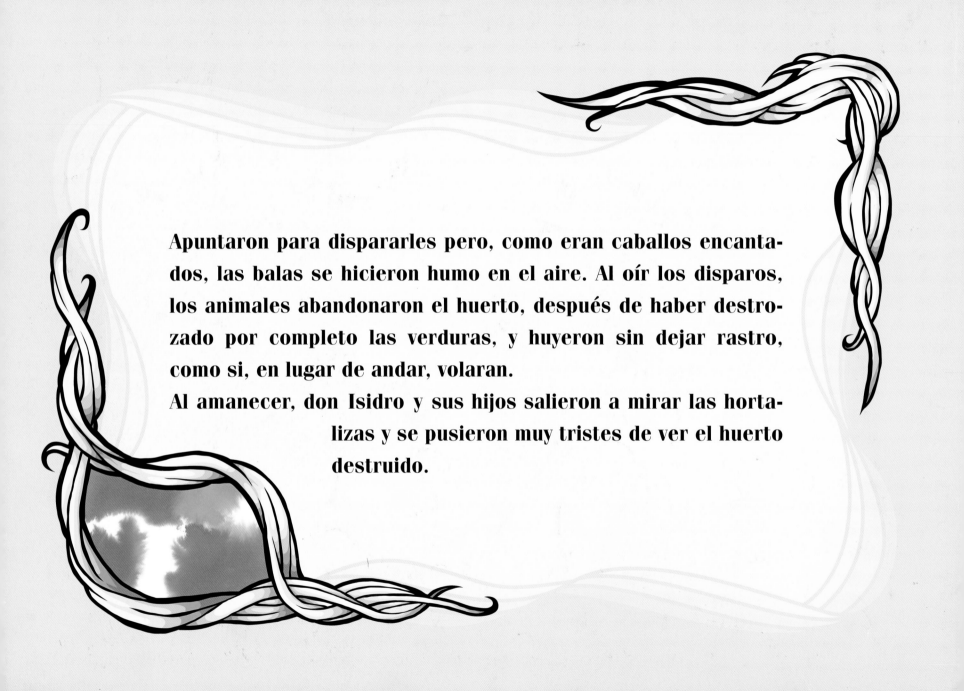

Apuntaron para dispararles pero, como eran caballos encantados, las balas se hicieron humo en el aire. Al oír los disparos, los animales abandonaron el huerto, después de haber destrozado por completo las verduras, y huyeron sin dejar rastro, como si, en lugar de andar, volaran.

Al amanecer, don Isidro y sus hijos salieron a mirar las hortalizas y se pusieron muy tristes de ver el huerto destruido.

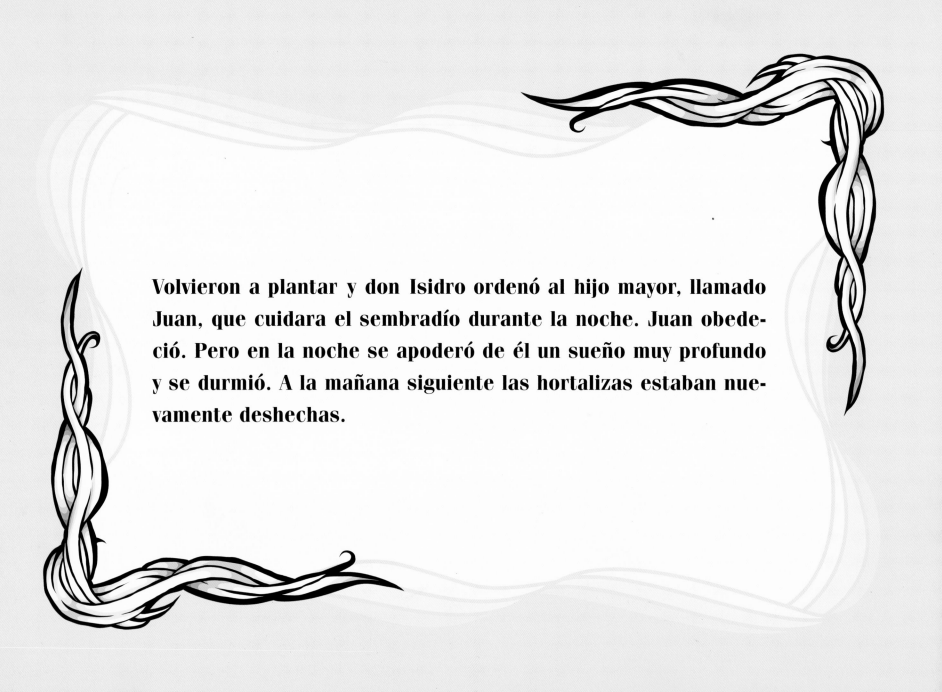

Volvieron a plantar y don Isidro ordenó al hijo mayor, llamado Juan, que cuidara el sembradío durante la noche. Juan obedeció. Pero en la noche se apoderó de él un sueño muy profundo y se durmió. A la mañana siguiente las hortalizas estaban nuevamente deshechas.

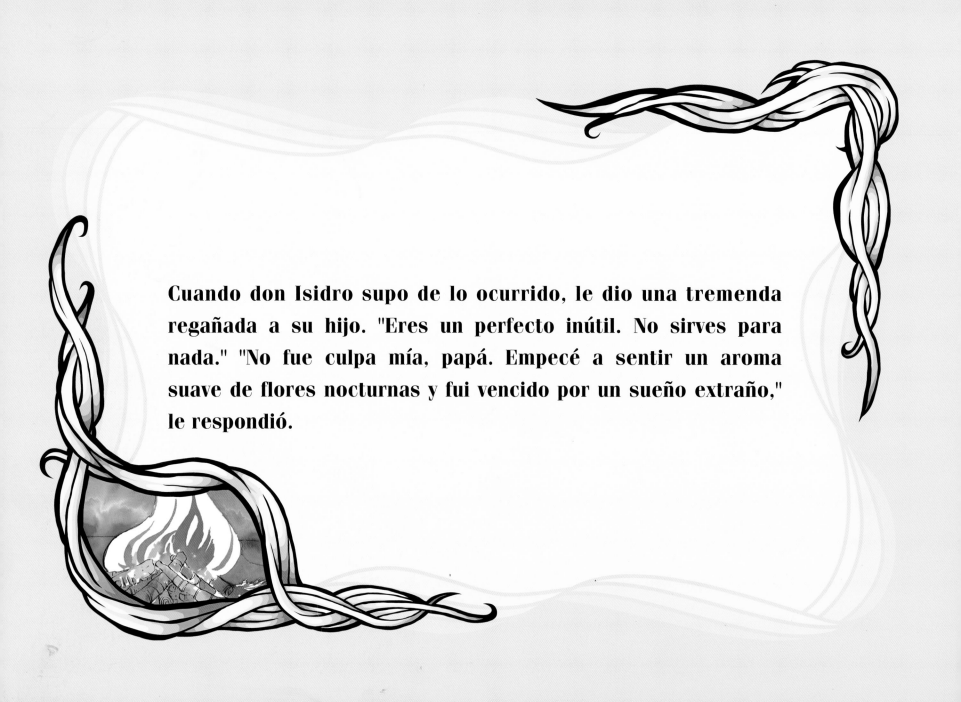

Cuando don Isidro supo de lo ocurrido, le dio una tremenda regañada a su hijo. "Eres un perfecto inútil. No sirves para nada." "No fue culpa mía, papá. Empecé a sentir un aroma suave de flores nocturnas y fui vencido por un sueño extraño," le respondió.

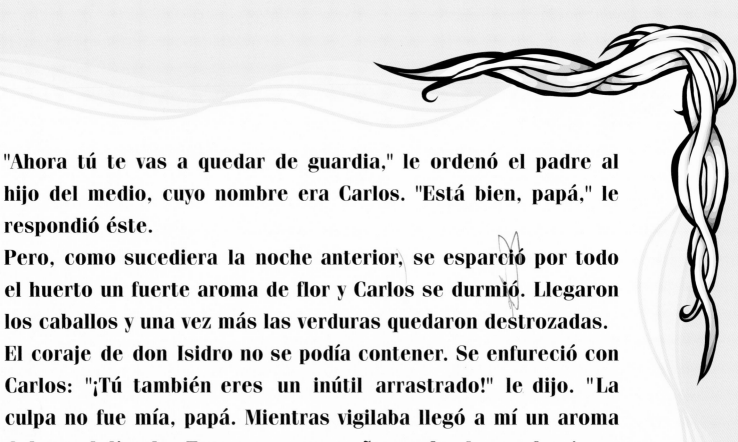

"Ahora tú te vas a quedar de guardia," le ordenó el padre al hijo del medio, cuyo nombre era Carlos. "Está bien, papá," le respondió éste.

Pero, como sucediera la noche anterior, se esparció por todo el huerto un fuerte aroma de flor y Carlos se durmió. Llegaron los caballos y una vez más las verduras quedaron destrozadas.

El coraje de don Isidro no se podía contener. Se enfureció con Carlos: "¡Tú también eres un inútil arrastrado!" le dijo. "La culpa no fue mía, papá. Mientras vigilaba llegó a mí un aroma dulce y delicado. Entonces, un sueño profundo me fue invadiendo y ya nada pude ver."

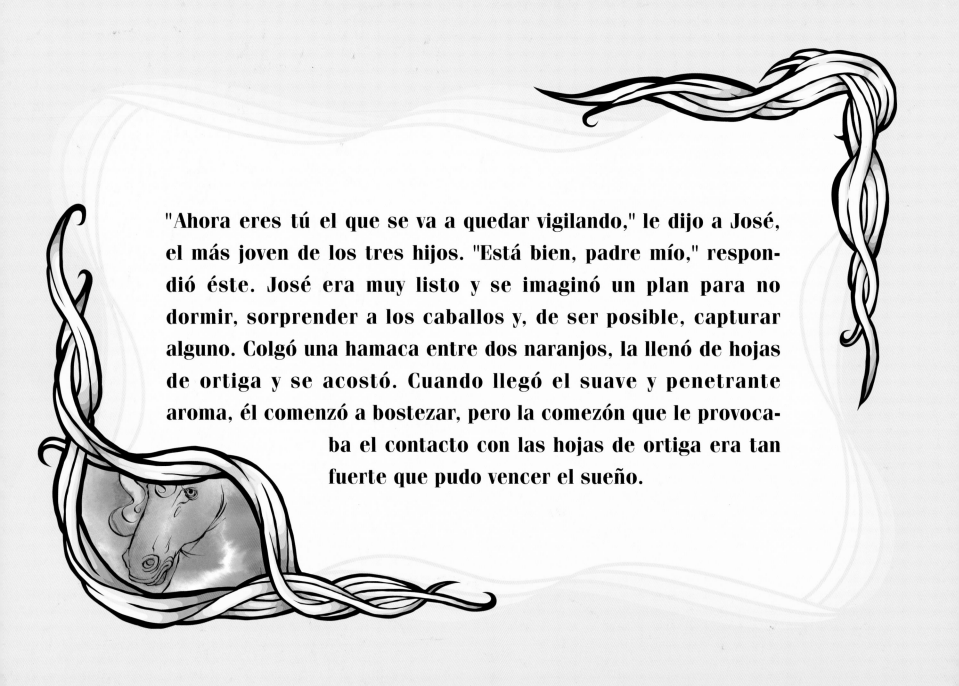

"Ahora eres tú el que se va a quedar vigilando," le dijo a José, el más joven de los tres hijos. "Está bien, padre mío," respondió éste. José era muy listo y se imaginó un plan para no dormir, sorprender a los caballos y, de ser posible, capturar alguno. Colgó una hamaca entre dos naranjos, la llenó de hojas de ortiga y se acostó. Cuando llegó el suave y penetrante aroma, él comenzó a bostezar, pero la comezón que le provocaba el contacto con las hojas de ortiga era tan fuerte que pudo vencer el sueño.

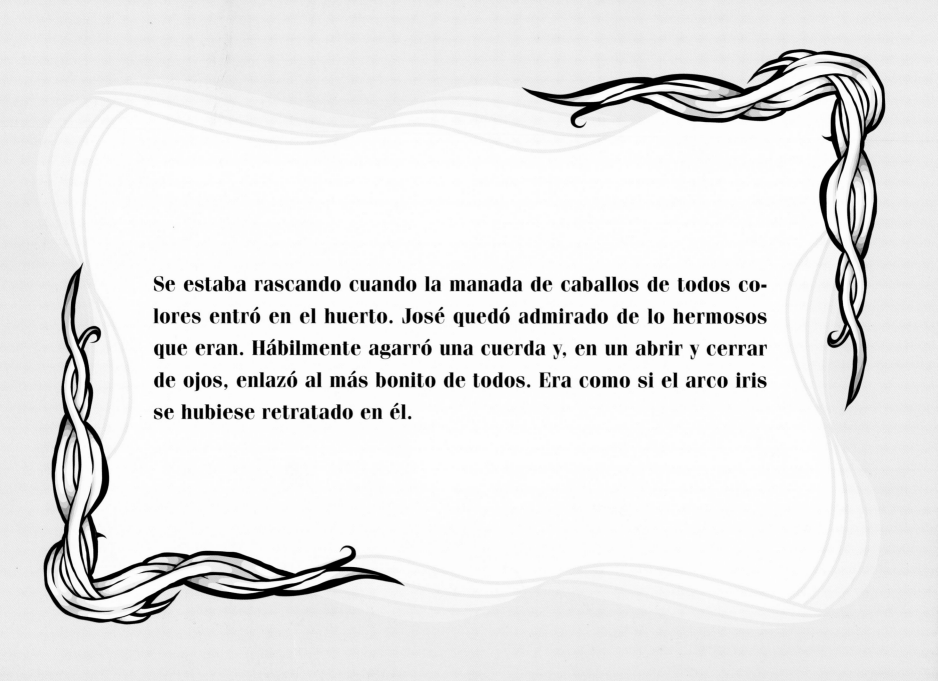

Se estaba rascando cuando la manada de caballos de todos colores entró en el huerto. José quedó admirado de lo hermosos que eran. Hábilmente agarró una cuerda y, en un abrir y cerrar de ojos, enlazó al más bonito de todos. Era como si el arco iris se hubiese retratado en él.

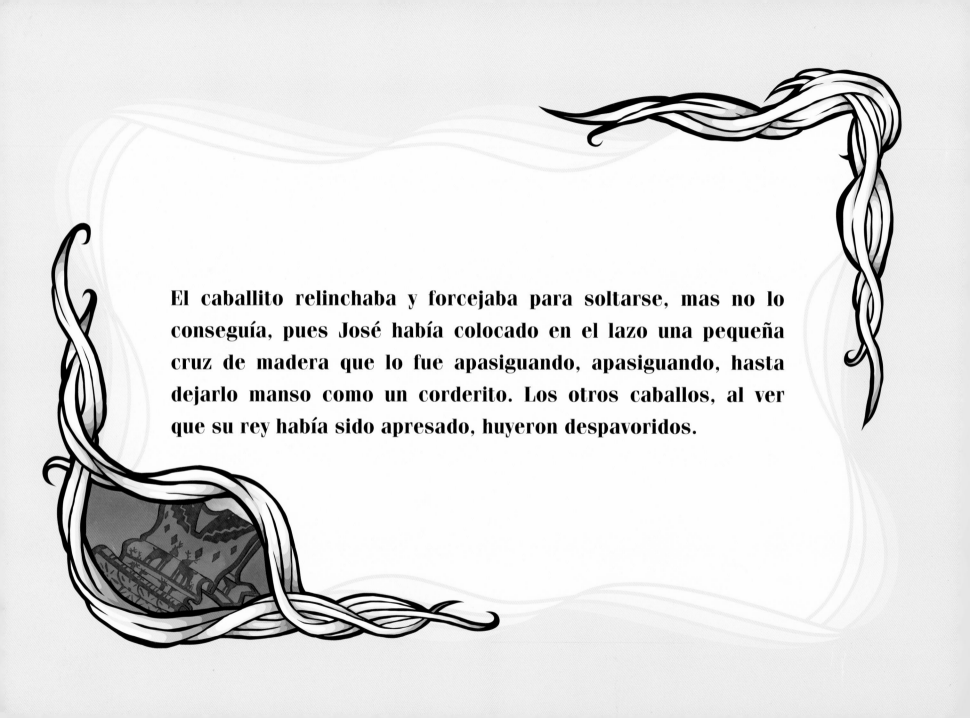

El caballito relinchaba y forcejaba para soltarse, mas no lo conseguía, pues José había colocado en el lazo una pequeña cruz de madera que lo fue apasiguando, apasiguando, hasta dejarlo manso como un corderito. Los otros caballos, al ver que su rey había sido apresado, huyeron despavoridos.

Cuando el caballito de siete colores se vio imposibilitado para huir, propuso a José un trato: "Suéltame y yo te daré lo que me pidas." "No puedo. Eres un chiquillo malcriado y tienes que rendir cuentas de tus travesuras a mi padre." "Suéltame y yo haré que las verduras queden más bonitas que antes. Además de eso, te socorreré siempre que te encuentres en peligro." "Para que yo te crea eso, primero tienes que poner las verduras en orden." "Está bien. Observa y escucha:

PIEDRAS BLANCAS, PIEDRAS LISAS
LOS OJOS DEL ALCARAVÁN
AQUÍ SE LEVANTARÁN
LAS MEJORES HORTALIZAS."

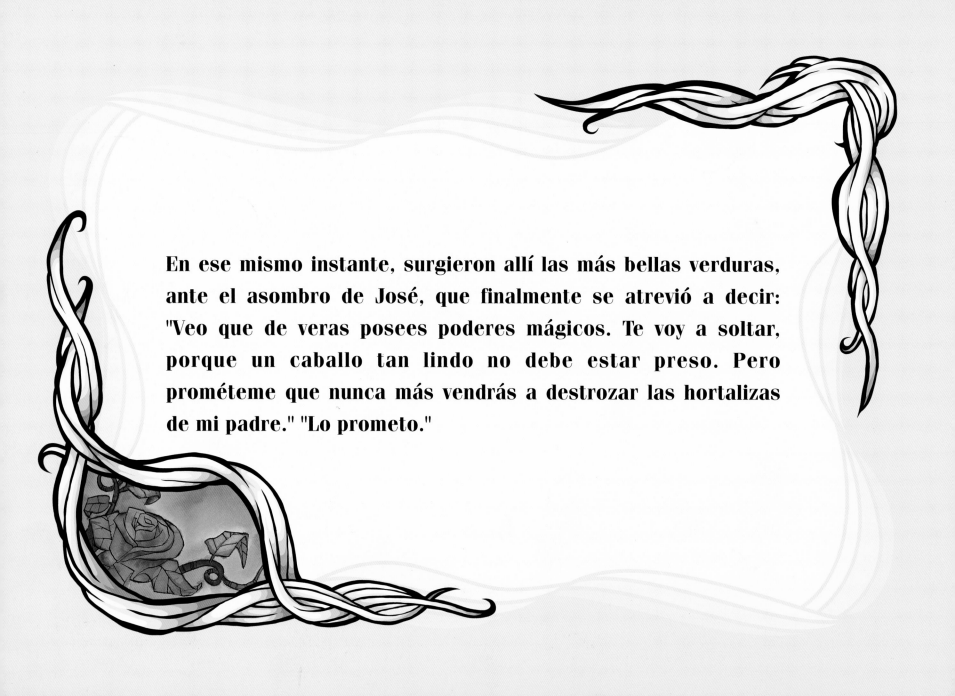

En ese mismo instante, surgieron allí las más bellas verduras, ante el asombro de José, que finalmente se atrevió a decir: "Veo que de veras posees poderes mágicos. Te voy a soltar, porque un caballo tan lindo no debe estar preso. Pero prométeme que nunca más vendrás a destrozar las hortalizas de mi padre." "Lo prometo."

José soltó al caballito que desapareció como un globo colorido que el viento lleva. A las cinco de la mañana don Isidro y los dos hijos fueron a ver las verduras y se asombraron de encontrarlas más bonitas que antes. "Como ustedes ven," dijo don Isidro a sus dos hijos, "mi hijo menor es un valiente." Y fue corriendo a abrazarlo.

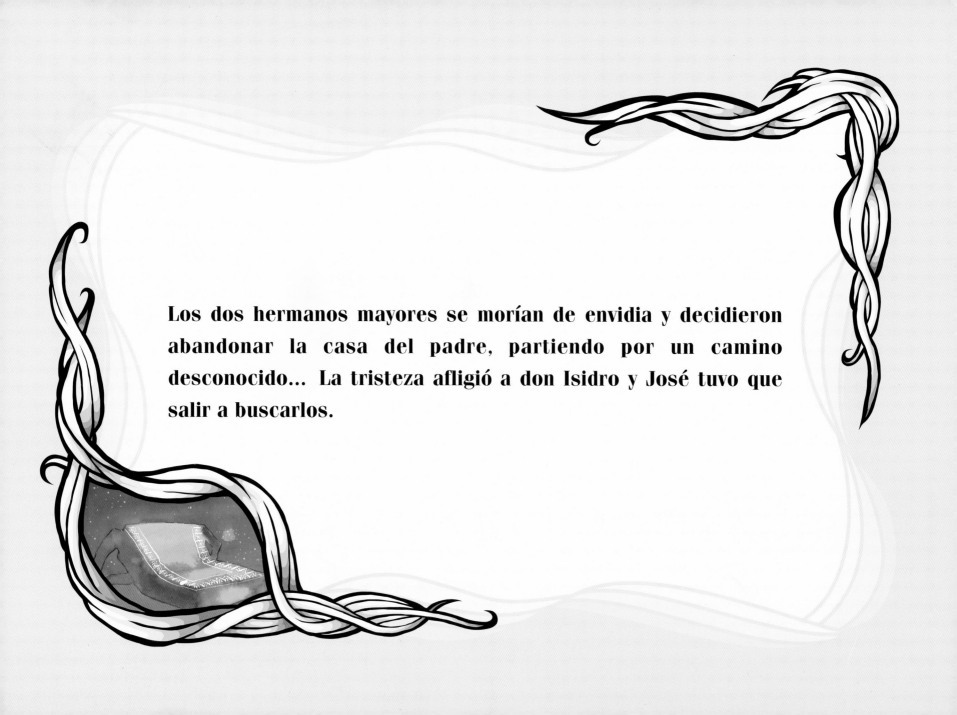

Los dos hermanos mayores se morían de envidia y decidieron abandonar la casa del padre, partiendo por un camino desconocido... La tristeza afligió a don Isidro y José tuvo que salir a buscarlos.

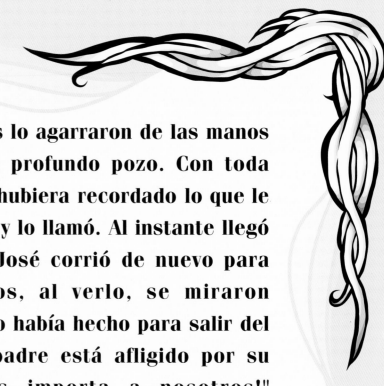

Al percibir su llegada sus hermanos lo agarraron de las manos y de los pies y lo arrojaron a un profundo pozo. Con toda certeza José habría muerto, si no hubiera recordado lo que le dijera el caballito de siete colores, y lo llamó. Al instante llegó el caballito y lo salvó. Entonces José corrió de nuevo para alcanzar a sus hermanos. Éstos, al verlo, se miraron incrédulos, pues no entendían cómo había hecho para salir del pozo. "Hermanos míos, nuestro padre está afligido por su ausencia," les dijo. "¡Qué nos importa a nosotros!" respondieron ellos. "Él ya tiene a su hijito para que lo ayude en todo." Y se fueron por la montaña, mientras José, que seguía sus pasos, les suplicaba que volvieran.

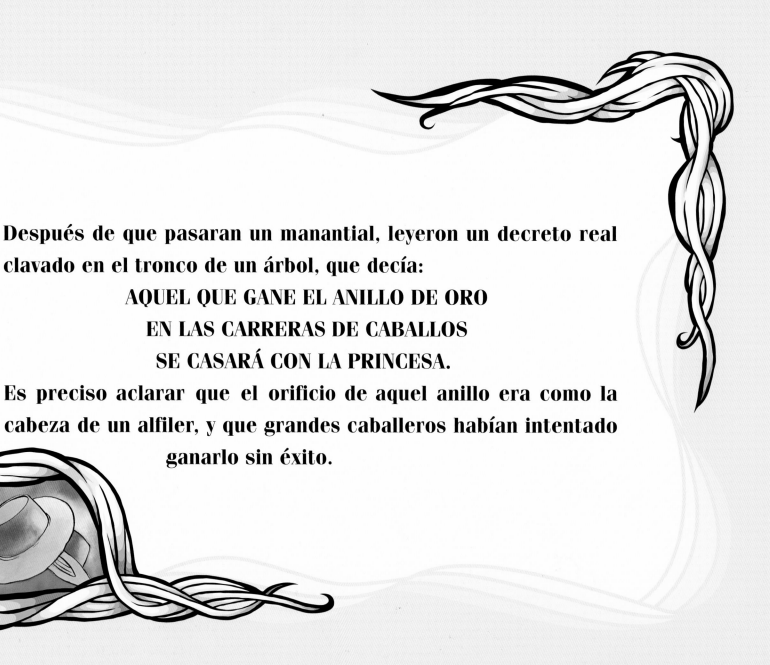

Después de que pasaran un manantial, leyeron un decreto real clavado en el tronco de un árbol, que decía:

AQUEL QUE GANE EL ANILLO DE ORO
EN LAS CARRERAS DE CABALLOS
SE CASARÁ CON LA PRINCESA.

Es preciso aclarar que el orificio de aquel anillo era como la cabeza de un alfiler, y que grandes caballeros habían intentado ganarlo sin éxito.

Los hermanos envidiosos decidieron hacer la prueba. Convirtieron a José en su criado y lo pusieron a bañar y a adornar los caballos. Al día siguiente, Juan y Carlos montaron sus caballos y ordenaron a José: "A nuestro regreso, queremos almorzar bistec con papas bien doraditas." "¿No me dejarían espiar el torneo?" "¡No!" le respondieron y, riéndose a carcajadas, partieron.

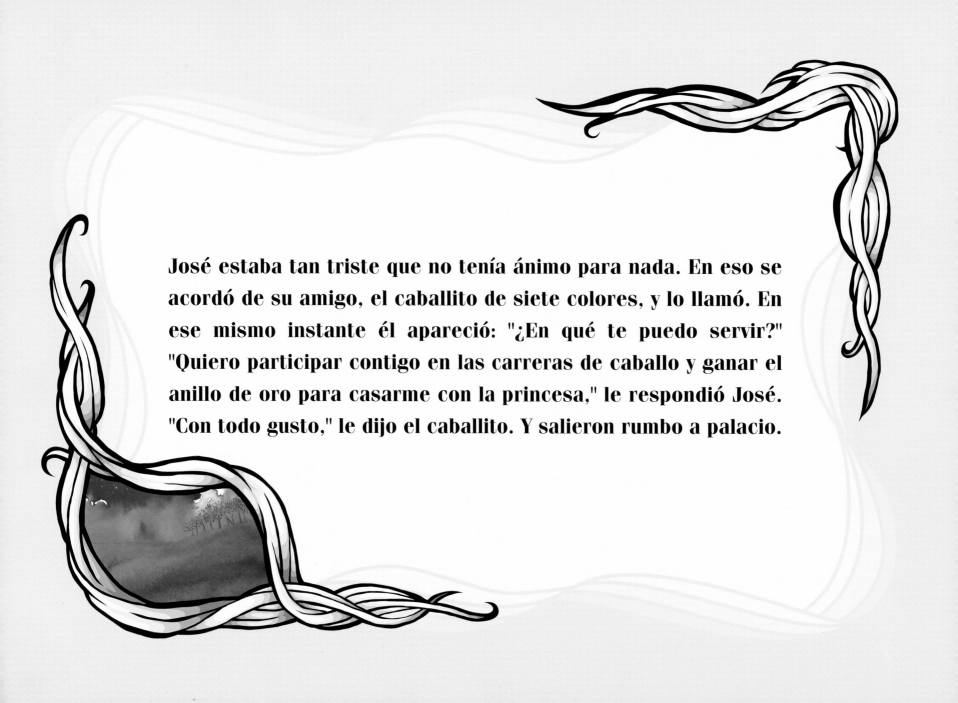

José estaba tan triste que no tenía ánimo para nada. En eso se acordó de su amigo, el caballito de siete colores, y lo llamó. En ese mismo instante él apareció: "¿En qué te puedo servir?" "Quiero participar contigo en las carreras de caballo y ganar el anillo de oro para casarme con la princesa," le respondió José. "Con todo gusto," le dijo el caballito. Y salieron rumbo a palacio.

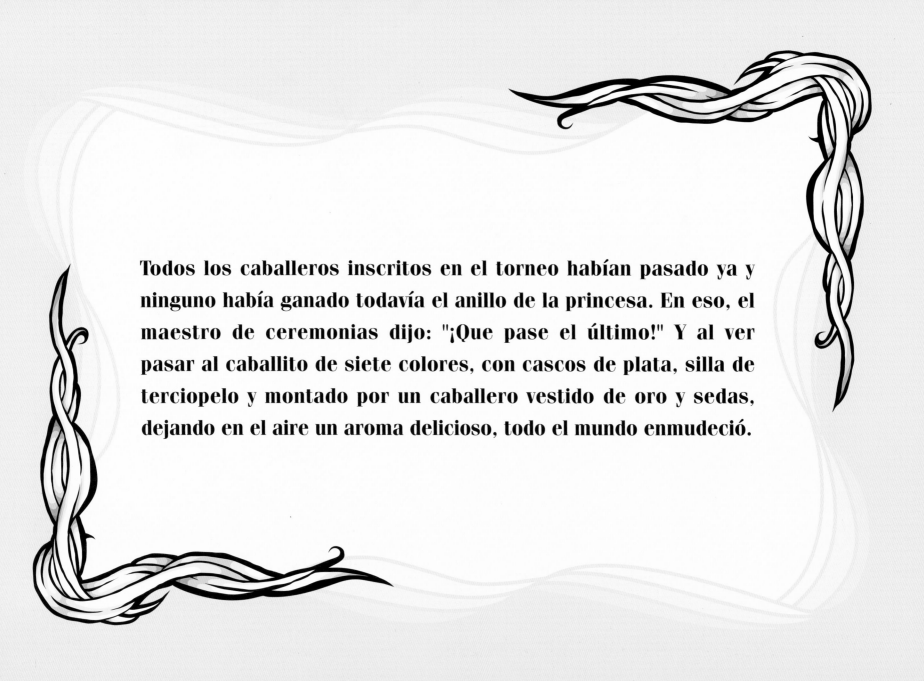

Todos los caballeros inscritos en el torneo habían pasado ya y ninguno había ganado todavía el anillo de la princesa. En eso, el maestro de ceremonias dijo: "¡Que pase el último!" Y al ver pasar al caballito de siete colores, con cascos de plata, silla de terciopelo y montado por un caballero vestido de oro y sedas, dejando en el aire un aroma delicioso, todo el mundo enmudeció.

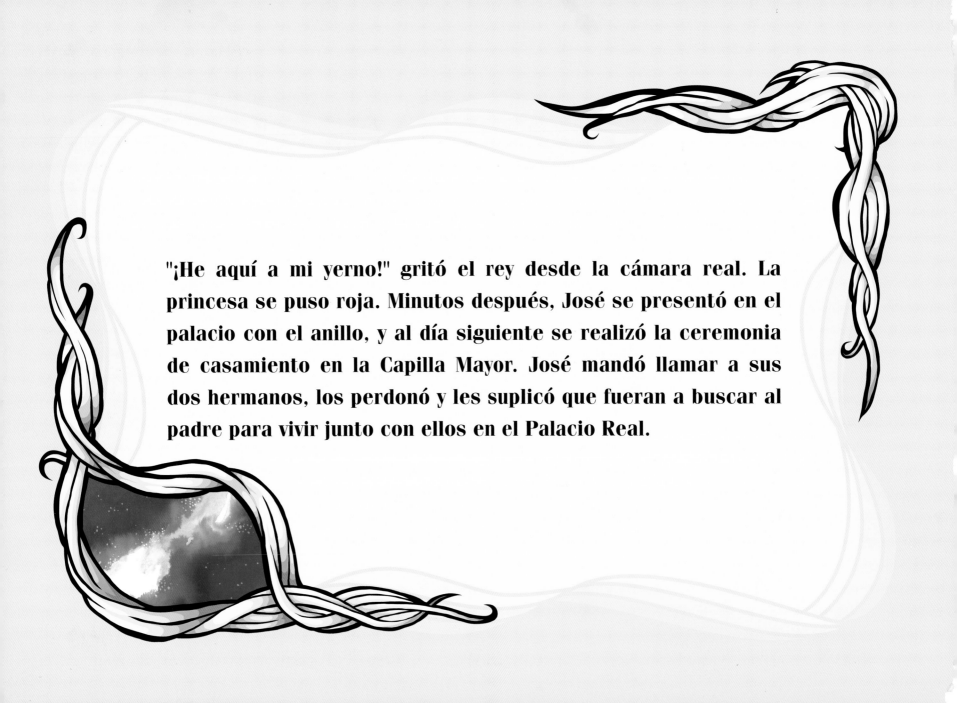

"¡He aquí a mi yerno!" gritó el rey desde la cámara real. La princesa se puso roja. Minutos después, José se presentó en el palacio con el anillo, y al día siguiente se realizó la ceremonia de casamiento en la Capilla Mayor. José mandó llamar a sus dos hermanos, los perdonó y les suplicó que fueran a buscar al padre para vivir junto con ellos en el Palacio Real.

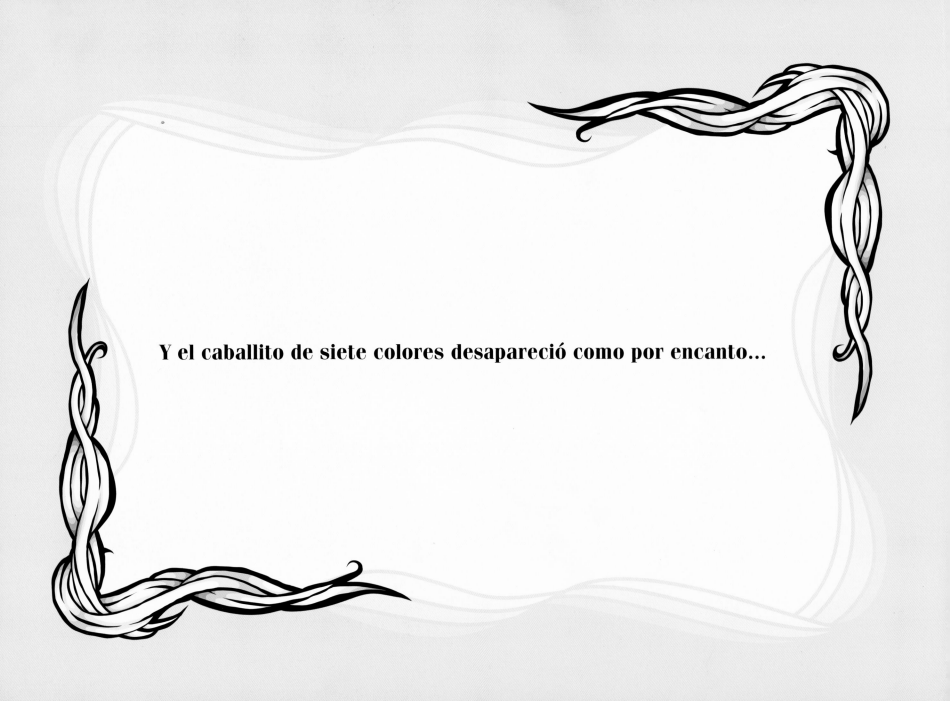

Y el caballito de siete colores desapareció como por encanto...

EL CABALLITO DE SIETE COLORES

2003年5月1日発行

再話	Carmen Avendaño（カルメン・アヴェンダニョ）
絵	Rene Almanza（レーネ・アルマンサ）
デザイン	渡部 丈徳
発行人	M. クレスポ
発行所	新世研
〒177-0041	東京都練馬区石神井町6-27-29
電話	03（3995）8871
FAX	03（5393）0456
印刷・製本	（株）太平印刷社
定価	本体2761円＋税
ISBN	4-88012-572-5

スペイン語版/Spanish Edition

Printed in Japan